Stof dat als een meisje

Toon Tellegen

Stof dat als een meisje

Variaties op een thema

Amsterdam · Antwerpen
Em. Querido's Uitgeverij BV
2009

Omslag Brigitte Slangen
Omslagbeeld © Malcolm Brice /
Arcangel Images / [image]store
Binnenwerk Hannie Pijnappels

ISBN 978 90 214 3760 6 / NUR 306
www.querido.nl

Inhoud

Een man zei 35
Engel, dacht een man 36
Een man wilde van iedereen houden 37
Een engel kuste een man 38
Een man sloeg wild om zich heen 39
Een man keek in een spiegel 40
Waartoe dienen engelen 41
Een man vocht met een engel 42
Een engel vond een man 43
Een engel kwam binnen 44
Een man wist niet dat hij met een engel vocht 45
Een man zei: ik... 46
Een man verzamelde vragen, onzekerheden 47
Een man wilde langs een afgrond lopen 48
Een man ging sterven 49
Een man zocht zijn geweten 50
Een man stond op uit wanorde en vermoeienis 51
Een engel zocht een man 52
Een man schreeuwde 53
Een man vertelde 54
Een engel zocht iets onmenselijks 55
Een man sliep 56
Doodgaan is niet... 57
Een engel vocht met een man 58
Een man vecht met een engel 59
Uiteindelijk 60
Ik ben een man, ik ben een engel 61
Het was winter 62

...en elke avond als het donker wordt
en elke ochtend als de zon opkomt
strompelen er mensen weg, bebloed en mismoedig,
maar niet verslagen

en sluiten er engelen vrede,
maar weten niet met wie.

Het regende
en de lucht was vol argwaan en moedeloosheid

en een engel verscheen,
zag om zich heen
en sloeg iemand neer,
en nog iemand,
en nog iemand

en achteraan, in het donker, achter iedereen,
in elkaar gedoken, met zijn rug tegen een muur,
zat een man, keek naar de grond
en dacht na,
dacht dagen maanden jaren na
en dacht ten slotte, op een ochtend,
in een vlaag van roekeloosheid – meeuwen
krijsend in de bleke lucht:
ik, ik zal...

en de engel baande zich een weg naar hem.

9

Ik kom met je vechten, zei een engel –
een man zweeg –
ik zal je nooit meer loslaten,
je tot bloedens toe slaan, je achter mij aan slepen
en nooit meer loslaten...

de engel blies een pluisje van een van zijn reusachtige vleugels

...ik hou van je

de man zei niets.

Een man dacht dat hij vrij was
en een engel sloeg hem neer

de man zei dat hij vrij was
en weer sloeg de engel hem neer

de man zei opnieuw dat hij vrij was
en opnieuw sloeg de engel hem neer

toen schreeuwde de man dat hij vrij was,
dat hij altijd vrij was, dat hij nooit iets anders dan vrij zou zijn,
maar de engel sloeg hem tot bloedens toe neer

en schaamte en vergeetse mocite woeien op
en verspreidden zich als stof
over de grijze aarde

en de man stamelde dat hij vrij was,
dat hij dacht dat hij vrij was

en de engel vloog weg.

11

Een man had tranen in zijn ogen,
wist niet waarom
(wist zelden of nooit waarom)

en een engel vond hem en dacht:
hém moet ik neerslaan

de man zag de engel
en wilde met hem dansen,
boog voor hem
en de engel knikte, lachte,
sloeg zijn vleugels om hem heen

de man vergat zijn tranen, straalde,
herinnerde zich elke pas
die hij ooit met overgave had gedanst

de zon ging onder
en zij dansten in het donker, in de kilte,
in de verregaande stilte van ergens
waar het nergens was

ik ben zo... zei de man, heel zacht,
nu! dacht de engel.

Een man en een engel vochten zwijgend, grimmig,
het is niet eerlijk, zei de man,
nee, het is niet eerlijk, zei de engel
                    met een eigenaardig hemels accent

de zon scheen, de verte trilde,
vliegtuigjes met day-glo vleugels schreven met grote letters
in de lucht:

        HET IS NIET EERLIJK

en juffrouwen met gebarsten lippen
dicteerden aan kinderen met betraande gezichten:

        het is niet eerlijk,
        het was niet eerlijk,
        het zal nooit eerlijk zijn

eens, bijtend op zijn verschrikkelijke nagels,
zag God dat het goed was,
maar niet eerlijk

de man keek op
en de engel sloeg hem neer.

's Nachts sliep een man
onder een dunne deken van verachting en overmoed,
rilde,
droomde nooit wat hij wilde

liefde, zei een engel
en hij schreef het voor de man op:
liefde liefde liefde,
schreef brieven schriften boeken voor hem vol

en telkens als de man wakker werd
sloeg de engel hem neer

en snikte of grinnikte
of iets daartussenin.

Geloof me, zei een engel, ik zal je redden,
nee, zei een man, ik geloof je niet,
je moet me geloven, zei de engel

en hij verdreef de eerzucht van de man
en zijn pijnlijke alwetendheid,
gaf hem vrede
en grote hoeveelheden van een zeldzaam
nog niet eerder beschreven veerkrachtig soort geluk

geloof je me nu, vroeg de engel
en hij keek naar de man met weergaloze liefde
en vertedering
en de man fluisterde: ik geloof je niet.

Een man vocht met een engel, smeekte om genade:
niet meer! niet meer!

voorbijgangers bleven staan,
keken de man vol deernis aan:
hij, hij verklaarde de smoezeligheid van hun bestaan

ze hadden messen bij zich, verminkten zich,
kropen bloedend weg, sleepten zich naar een vuilnisbelt

en de man en de engel sloegen het stof van zich af,
verontschuldigden zich voor hun wangedrag,
haalden hun schouders op
en vervolgden hun weg.

Een engel keek naar een man,
maar de man zei: ik kijk naar mijzelf

de engel vocht met de man,
maar de man zei: ik vecht met mijzelf

de engel sloeg de man bijna dood,
maar de man zei: ik sla mijzelf bijna dood

de engel boog zich over de man heen
en troostte hem,
maar de man riep: ik buig mij over mijzelf heen,
ik troost mijzelf!

toen vloog de engel weg
en de man stond op, wierp hem stenen achterna,
schreeuwde:
alsof ik vliegen kan...!

viel uit de blauwe, hel verlichte hemel neer.

Een man was alleen,
de tijd verstreek
en de man fluisterde:
engel, waarom heb je met me te doen...
waarom troost je me en praat je me altijd moed in...
waarom vergeet je me niet...

en een engel verscheen,
zag de man,
tilde hem voorzichtig op,
streelde hem, wiegde hem, fluisterde:
nu vergeet ik je, nu.

Een engel zag een man,
streek neer op zijn hand
en vouwde zijn vleugels dicht

de zon ging onder,
het was een mooie dag geweest
en de engel verschrompelde,
werd kleiner en kleiner,
kleiner dan een vlinder, dan een vliegje, dan een stofje,
de man kon hem al niet meer zien
en zei:
engel, engeltje, waar ben je...

hij hield zijn hand vlak voor zijn ogen,
zijn hart ging wild tekeer

ik ben hier, zei de engel
en hij sloeg de man neer.

Een engel streelde een man, kuste hem
en sloeg hem neer,
maar niet noodzakelijkerwijs in die volgorde

en hij verwisselde vroeger en later
en ooit en eens,
liet de man dood zijn en onbevangen

het werd lente
en het regende verontschuldigingen en schroom,
vergane schepen voeren haastig een thuishaven in,
moordzuchtige matrozen kwijnend op het dek

en hij streelde de man, sloeg hem neer
en kuste hem, zo wild en zo ondoorgrondelijk...

Een man schreeuwde, bloedde,
viel op de grond

voorbijgangers bleven staan:
waarom schreeuwt u zo...

ik vecht met een engel

ach, wat bijzonder...
wat vecht u mooi en noodlottig...
en dat bloed, wat staat dat u goed...

ze bogen zich over hem heen
en wat een zinnenstrelende deerniswekkendheid spreidt u tentoon...

ze schudden hun hoofd:
en dan, zoals uw adem nu stokt...

liepen peinzend door.

Voorzichtig,
met tranen in zijn ogen
en pijn in zijn vleugels en zijn ziel,
vocht een engel met een man, vocht jarenlang

sloeg de man uiteindelijk neer,
wiste nog wel nauwkeurig en teder het bloed van zijn gezicht,
knikte
en liet hem liggen
in het donker van een onbestorven ochtend,
dacht aan iets anders al.

Een man viel in slaap
en een engel streek naast hem neer

ik kom... zei de engel,
sst... zei de man, wat bén je voor een engel...
zie je niet dat ik slaap?
legde een vinger op zijn lippen

de engel knikte,
en sloeg hem heel voorzichtig
en in de grootst mogelijke stilte
(maar wel tot bloedens toe) in zijn gezicht,
en schreef in het schrift
dat uit de hand van de man gegleden was:

      ik kan niet meer

vloog langzaam, zachtjes neuriënd weg.

Ze zagen niet dat hij vocht met een engel
en zeiden:
wat wandelt u daar kalm en weloverwogen...
en nu buigt u zich ook nog over een roos...
hoe rood is zij...
hoe welwillend snuift u haar geur in u op!

er stroomde bloed langs zijn wangen, langs zijn armen,
hij zakte door zijn knieën,
viel voorover met zijn hoofd in het stof

ze zeiden:
en nu omhelst u zelfs de aarde...
u moet wel zeer gelukkig zijn!

en de man stond op, sloeg zijn kleren af
en wandelde verder.

Een man zei:
ik kan niet leven,
en hij leefde langdurig en nauwgezet

toen stond hij stil en zei:
ik kan niet houden van,
en hij hield van vrouwen en vrede
                en stilzwijgende verlegenheid

en een engel daalde af, vocht met hem –
ik kan niet vechten, zei de man
en hij vocht als een leeuw, als een haas
                en als een houten scharminkel

de zon ging onder en nog altijd vochten zij,
de man en de engel,
en de man zei:
nu weet ik het, ik kan niet verliezen.

Het was een warme dag,
ik kan niet meer, dacht een man,
een engel vocht met hem
en zei: ik ook niet

het werd avond,
een van ons moet om genade smeken,
hijgde de engel,
ja, hijgde de man, een van ons

de maan kwam op
en de wereld was groot en bleek,
deinde om hen heen,
ze wisten het bloed van hun gezicht
en vochten langzaam verder

een van ons tweeën, fluisterde de engel,
ja, fluisterde de man, een van ons.

Een engel vloog weg,
een man hoorde het ruisen van zijn vleugels,
hoorde hem nog roepen:
of zal ik beweren dat jij mij hebt verslagen,
zal ik neerstorten
        ter meerdere glorie van jou...

de lucht was grijs en het begon te regenen

...of zal ik je voorgoed verlaten,
zal ik rondbazuinen - tot in de hoogste hemelen,
tot in Gods ene nog deugdelijke oor -
dat je niet bestaat,
dat ik vergeefs je heb gezocht...

de wind stak op en een blad dwarrelde neer,
verpletterde de man.

Het werd avond,
zijn wij uitgevochten, vroeg een man,
wij zijn uitgevochten, zei een engel

en hij tilde de man op, hield hem tegen het licht
en zei: je bent doorzichtig, nu

laat me maar los, zei de man
en de engel knikte en liet hem los

de man woei weg

en zij die achterbleven spraken over iets dat zij hoger achtten
dan de liefde, iets zwarts,
ze wisten niet hoe ze het moesten noemen, iets wrangs

of spraken zij over de dood,
over een varken wroetend onder een dode boom

of over de zee?

Een man vocht met een engel
en de engel sloeg hem neer

de man lag op de grond,
hoe moet ik kermen? vroeg hij
en de engel deed het voor

en om genade smeken? vroeg de man
en opnieuw deed de engel het hem voor

en sterven, vroeg de man, hoe moet ik sterven?
en de engel knikte, boog zijn hoofd en stierf

de man stond op, wiste het bloed van zijn gezicht
en weende
(zo noemde hij het opwellen van tranen,
het bijten op zijn tong)

en het werd koud en onbegrijpelijk
om hem heen.

Je moet je nog schuldig voelen,
zei een engel

dat is waar ook! zei een man
en hij voelde zich schuldig,
schaamde zich,
verzamelde leed waar hij het maar kon vinden

en toen hij al het leed van de wereld verzameld had
nam hij het op zijn schouders
en deed één stap

en toen hij op de grond lag,
zijn rug gebroken,
het leed van de wereld in glinsterende splinters
om hem heen
en boven hem de zon die hartverscheurend scheen,
fluisterde hij: het spijt me

de engel knikte,
trok hem overeind,
sloeg hem neer.

Een man maakte zich schamel en ontegenzeggelijk,
dacht koortsachtig na over wat hij zich nog meer kon maken:
scheef, schuw, onoverdrachtelijk...

zij die hem tegenkwamen vergaten hem uit alle macht,
zo'n abstracte man

en een engel zag hem,
wilde hem neerslaan,
maar wat viel er neer te slaan?

en die man maakte zich vluchtig en vergankelijk,
vloog over een afgrond heen.

Een man verklaarde zichzelf de oorlog,
trok tegen zichzelf op,
zag zichzelf als een reusachtig, met de dodelijkste wapens bewapend leger
aan de horizon,
zag hoe hij voorbereidingen voor een beslissende veldslag trof,
groef zichzelf in en wachtte

en een engel daalde neer en gaf de man een teken
en op een nacht viel hij zichzelf aan, onverhoeds en massaal,
en versloeg zichzelf na een bloedige, urenlange strijd

hees een vlag op zijn onbekende verwrongen zelf
in het eerste licht van de ochtendzon

en ging naar huis om in vrede te leven.

Een man vond een engel, ergens achteraf,
laten we vechten, zei de man,
dat is goed, zei de engel

de man vocht met hem,
behaalde een overwinning op hem,
verscheurde hem,
veegde hem op, gooide hem weg,
boende de vloer
                tot er geen spoor meer van hem over was,
wreef in zijn handen
en dacht niet meer aan hem

en de engel glimlachte
en tilde de man op, tussen twee vingers,
bekeek hem met verbazing
                en ook enige ontroering,
liet hem in een afgrond vallen

en de man viel en viel,
terwijl hij dacht dat hij liep
en dat het zomer was
en dat de toekomst hem veel beloofde.

Miljoenen mensen vechten met miljoenen engelen

één man en één engel staan terzijde,
niet van elkaar te onderscheiden,
ervaren helse vreugde
                    en ook iets van een hemels verdriet

en díé engel slaat díé man neer.

Een man zei:
het is onmogelijk om volmaakt gelukkig te zijn,
hoe kortstondig ook

en een engel sloeg hem neer

de man richtte zich op
en fluisterde: of zou...
bedacht één mogelijkheid,
één kleine, ingewikkelde, telkens verspringende en van aard verwisselende,
                              uiterst kortstondige mogelijkheid,
wiste het bloed van zijn gezicht,
viel voorover in de modder neer.

Engel, dacht een man,
je weet niet dat je met me vecht,
dat je me neerslaat en naar een afgrond sleept,
dat je aarzelt –
je aarzelt zo mooi en afzichtelijk,
je bent ook zo oogverblindend grijs en mismaakt –
en dat je me loslaat
en wegvliegt

en dat ik je elke keer weer helemaal van voren af aan
opnieuw moet verzinnen.

Een man wilde van iedereen houden,
en ook wel van niemand, op één iemand na,
als het niet anders kon

maar als zelfs dat onmogelijk was
wilde hij niet bestaan

en een engel vloog op hem af,
                              wit en overweldigend,
waarschuwend dat liefde verdacht was, maar vrij,
bij gebrek aan bewijs,
en dat haar onschuld op drijfzand rustte...
haar ware aard is bluf en brute vertedering!

en die man kromp ineen, verborg zich
en bestond.

Een engel kuste een man,
legde hem uit waartoe het leven diende
en waarom het zo koud en provisorisch was,
tilde hem hoog op
in de richting van de sterren
en suste hem in slaap

en toen de man sliep
vocht hij met hem,
sloeg hem tot bloedens toe
en wierp hem - met een zwaai
waarvan de sierlijkheid aangrijpend was -
in prikkeldraad en distels

hij wilde hem vergeten,
maar hij wist niet hoe.

Een man sloeg wild om zich heen,
dacht dat de leegte een engel was

sloeg tot hij niet meer kon
en de leegte zich om hem sloot
en hem langzaam wurgde

zo'n pasklare, van alle gemakken voorziene man
die uit louter werkelijkheidszin bestond

en de leegte schreeuwde,
zoals alleen de ware leegte schreeuwen kan:
misrekening! verwording! wangeloof!

een man voor een raam
            tussen duizenden cyclamens.

Een man keek in een spiegel
en dacht:
ik heb wel iets van een engel,
iets zachts,
al die rimpels en rimpeltjes
en dan de manier waarop ik lach...

en een engel keek hem aan
en zei,
met tederheid en verregaande innemendheid:
...en ik heb wel iets van jou,
iets vileins, ik weet het niet,
iets overmoedigs, iets ondoordachts...

en sloeg hem neer.

Waartoe dienen engelen

om mensen te laten denken
dat het engelen zijn die hen neerslaan,
geen mensen

mensen wassen hun handen in onbegrip,
hijsen zich in vleugels,
kijken in spiegels
en vliegen dwars door het glas van hun evenbeeld heen

zie ze bloeden:
engelen slepen hen weg.

Een man vocht met een engel,
voorbijgangers keken toe

ziet u niet wat hij doet? schreeuwde de man,
ja, zeiden de voorbijgangers, met u vechten,
kijk, nu slaat hij u neer, nu sleept hij u weg,
nu gooit hij u in een ravijn
en kijk, nu lopen wij weer door
en beseffen wij dat wij ons hebben vergist,
dat wij u niet hebben gezien, laat staan een engel
of uw gevecht met hem –
wij vergissen ons zo vaak, als u dat eens wist!

ze liepen door, schudden hun hoofd
                              over de onbruikbaarheid van hun verstand,
noemden zich de slaven van hun verbeelding,
liepen tot zij niet meer konden
en engelen hen vonden en met hen vochten

een enkeling keek toe.

Een engel vond een man

maar de man had al verloren,
viel al langzaam voorover van zijn troon,
poogde zich nog ergens aan vast te houden
                              en om hulp te roepen

het puin van zijn ongeloof en onnavolgbaarheid

en al zijn kinderen en kinderlijke verzinselen
dobberden op de wijde, zilverglinsterende meren
van vervoering en vrijheid van verdriet

en de engel vloog weg,
                    wit en ongeschonden.

Een engel kwam binnen,
liet de deur op een kier staan –
geluiden van kinderen, zonlicht, zomer

een man zag hem en wilde met hem vechten,
maar de engel fluisterde: nee,
ik kom je kleineren

en hij kleineerde de man,
hetgeen meer is dan tot bloedens toe neerslaan en vertrappen,
meer is dan verafschuwen en verachten,
meer is dan over het hoofd zien en vergeten

en de man dacht,
na jaren van eerbaarheid en schrikbarende omzichtigheid:
dit is het, dit is het dus.

Een man wist niet dat hij met een engel vocht –
er zijn geen engelen, fluisterde hij

en hij voelde geen pijn,
viel niet,
bloedde niet,
ging niet één of duizend keer dood –
nee, ze bestaan niet! riep hij, telkens opnieuw –
en hij werd niet weggesleept, niet weggegooid en niet vergeten

en met een verbeten onverschilligheid
                    die alle perken te buiten ging
liet de engel hem niet los.

Een man zei: ik...
en een engel sloeg hem neer
nog voor de man had kunnen zeggen
dat hij gelukkig was
en dat hij...
en weer sloeg de engel hem neer
nog voor de man had kunnen denken
wat hij had kunnen zeggen
over altijd en iemand en houden van
en de engel smeet hem in een ravijn
nog voor de man had kunnen verzwijgen
dat hij toch gelukkig was
                    en altijd gelukkig zou zijn.

Een man verzamelde vragen, onzekerheden,
vage vermoedens, twijfelachtige veronderstellingen,
verkeerde gevolgtrekkingen, omstreden beweegredenen,
misplaatste overtuigingen, wisselende stemmingen,
pijnlijke gemoedsaandoeningen, koortsachtige karakterschommelingen
en niet-aflatende, tegenstrijdige gedachten aan de dood

verzamelde zich treurig en onaanzienlijk

en een engel raakte hem heel licht, heel voorzichtig
                        en met de grootst mogelijke tederheid aan
en het werd herfst
en de wind tilde de man op en blies hem weg

kinderen, een paar kleine kinderen, zagen hem nog dansen
op de stralen
van de ondergaande zon.

Een man wilde langs een afgrond lopen,
moest langs een afgrond lopen,
zocht van alles de rand
                        en de diepte voorbij de rand,
oefende in wankelen, vallen, dodelijk gewond zijn,
laatste woorden (schreef boeken vol met laatste woorden)
en de aanblik van zijn moeder in zijn stervensuur –
haar schoot waar zij zijn hoofd op zou leggen,
haar vingers door zijn haar

viel ergens in een verlaten vlakte,
een woestijn, maar zonder zon

en een engel raapte hem op.

Een man ging sterven,
was bijna dood
en een engel streek naast hem neer

bent u de dood? vroeg de man,
ik kom je pijn doen, zei de engel,
ik kom zielsveel van je houden

en hij sloeg de man, krabde de man,
beet in de schamele resten van zijn ziel,
en de man kromp ineen, rekte zich uit, schreeuwde
en wees iedereen de deur – weg! weg! weg!

de engel bleef achter,
wat heb ik u misdaan? fluisterde de man,
het waren zijn laatste woorden

en de engel vloog langzaam klapwiekend en in gedachten verzonken
terug
naar waar hij niet bestond.

Een man zocht zijn geweten
en een engel zag hem en vroeg:
is dit het soms?
liet hem een groot en rechtzinnig geweten zien

dat is van jou, zei de man,
mijn geweten is groezelig en vol met gaten –
maar de engel schudde zijn hoofd:
wij hebben geen geweten,
wij zijn te licht,
wij zouden vallen,
wij zouden verliezen van iedereen,
wij hebben alleen onszelf

en met een gebaar van ontzagwekkende nietszeggendheid
sloeg hij de man neer en sleepte hem weg

en de man schaamde zich.

Een man stond op uit wanorde en vermoeienis
en hij zag dat het goed was,
en een engel daalde neer
en zei
dat het niet goed was en dat het ook nooit goed zou worden

hij sloeg de man neer
en sleepte hem achter zich aan
                           door gebroken glas en prikkeldraad,
liet hem bloeden tot hij onbruikbaar was,
en de man was bewogen tot tranen toe,
fluisterde dat het nu goed was, nu wel,
de engel had geen gelijk...!

de engel leunde tegen een klein met vuurdoorn en kamperfoelie
                                    begroeid muurtje,
zijn lemen vleugels dampend in de zon,
en vroeg de man waarom

en de man legde het uit.

Een engel zocht een man
en honderden mannen riepen:
engel! ik ben hier!

maar de engel zocht één man, die ene man,
vond hem niet,
want die man is geen man,
die man is een stofje op een jas
en als je heel goed kijkt een stofje op een stofje op dat stofje

en hij is onweer, een verkeerde klemtoon,
een schandelijke ontboezeming

en die engel enzovoort

Een man schreeuwde:
wie heeft mij neergeslagen? wie doet zoiets?

en een engel riep terug:
ik niet, ik ben een engel, wij doen zoiets niet!
wiste het bloed van zijn klauwen

de man verloor wat hem nog restte van zijn ongeloof
en sprak zijn laatste krachten aan,
kroop naar een afgrond en leefde daar,
dicht bij de rand,
bedachtzaam, wankelend en jarenlang.

Een man vertelde:
eens vocht ik met een engel...

hij liet veren zien, resten van klauwen,
littekens in zijn gezicht

het is lang geleden... zei de man,
hij deed zijn ogen dicht

een engel zat naast hem

er zijn geen engelen meer, zei de man,
dat was de laatste

de engel knikte,
sloeg zijn vleugels – eerst nog voorzichtig –
om hem heen.

Een engel zocht iets onmenselijks,
hield mensen tegen het licht, vocht met ze, sloeg ze neer,
verscheurde ze, ontleedde ze

en vloog ten slotte onverrichterzake weg

en een onmenselijke man
                    kwam tevoorschijn uit zijn schuilplaats,
waste zijn handen tot ze wit waren en onfeilbaar,
schraapte zijn keel

en verkondigde ontrouw en onvermogen
en de zoete geur van onwetendheid.

Een man sliep
en een engel schudde hem wakker,
telkens opnieuw,
riep in zijn oor:
niet slapen! wij vechten met elkaar! jij en ik!
weet je dat soms niet?

ja, zei de man, ik weet het,
en de engel brak zijn handen en zijn gedachten
                           en de resten van zijn verstand

de man werd brozer en strammer,
miskende het gewicht van zijn verwarring,
liet zijn hoofd zakken,
praatte zachtjes met zichzelf...
en de engel gooide hem in een ravijn
en riep:
niet doodgaan, jij! niet doodgaan!

en de man ging niet dood.

Doodgaan is niet...
zei een engel
en hij somde op wat doodgaan niet is
(doodgaan ís ook niets)

en de man tussen zijn vingers
werd zwakker en zwakker

de engel raakte niet uitgesproken,
liet de man in een afgrond vallen,
riep:
en dit is het ook niet,
haalde zijn schouders op:
en dit helemáál niet!

en vloog terug naar God,
die tot walgens toe dobbelde
en verloor.

Een engel vocht met een man,
sloeg hem, liet hem bloeden

zal ik je pijn verlichten, vroeg hij, je wonden verbinden,
je laten fluisteren dat je van me houdt

sleurde hem door modder en over rotsen –
zal ik je laten minachten en vernederen
en voor je opkomen, je in bescherming nemen tegen iedereen

gooide hem in een ravijn –
zal ik verkondigen dat je lief bent en ongrijpbaar
en iets lucides hebt, hoe zal ik het zeggen,
iets engelachtigs

verdween tussen de wolken –
zal ik altijd bij je blijven?

en iemand vond de man,
tilde hem op,
keek of hij hem nog ergens voor kon gebruiken,
je weet dat nooit,
en gooide hem toen weg.

Een man vecht met een engel –

en op een dag zal doodgaan binnenkomen,
in zijn oneindige barmhartigheid zijn jas uitdoen
en de deur achter zich dichttrekken

hij zal gaan zitten,
hij heeft alle tijd van de wereld

hij zal een vergelijking met tientallen onbekenden oplossen
en één geheim (niet meer dan één) verklappen

daarna zal hij zwijgen,
alleen nog even wijzen naar het stof dat als een meisje
in het zonlicht tussen de gordijnen danst –

vecht met een engel, vecht.

Uiteindelijk,
als we maar lang genoeg wachten,
als we schoonheid van gedaante hebben zien wisselen,
als we gerechtigheid zich in bochten hebben zien wringen,
als we beseffen in iets onmogelijks te hebben geloofd,
als we tot gekmakens toe hoop hebben gekoesterd,
als we hebben liefgehad tot we beschimmelden en vermolmden
en niet meer konden –
zo waarlijk helpen ons de resten van ons zelfbesef –
uiteindelijk,
van alles wat er was
en wat er had kunnen zijn en moeten zijn
in elke fractie van onze seconden
rest slechts
een ik die met een engel vecht,
de nacht valt
en de engel slaat hem neer.

Ik ben een man, ik ben een engel.
Ik kom mijzelf tegen.
Ik groet mijzelf, grijp mijzelf en sla mijzelf neer.
Ik... zeg ik schamper en vertederd.
Mijn schuchtere vleugels, mijn klamme ziel.
Ik spaar en haat mijzelf niet.

De geur van seringen,
uit meren springende zilveren vissen.

Ik sleep mijzelf achter mij aan,
luister niet naar mijn verbrokkelde woorden,
                    de onweerlegbare bewijzen van mijn gelijk,
en laat mijzelf ergens liggen,
vlieg weg en verget mijzelf.

Ik ben de engel, ik ben de man.

Het was winter
en een engel vocht met een man,
sloeg hem neer, sleepte hem achter zich aan,
gooide hem in een ravijn,
vloog weg,
riep nog, zonder achterom te kijken:
of zullen we opnieuw beginnen –
jij mag het zeggen

en de man dacht na over het verdriet waarvan hij vermoedde
dat hij het toen voelde,
en over de zon die zo langzaam, zo verschrikkelijk langzaam onderging,
en hij fluisterde:
dat is goed.

Veertien gedichten in deze bundel verschenen eerder – in iets andere vorm –
in *Een man en een engel* (uitgeverij Herik, 2001), *Kruis en munt*
(Gedichtendagbundel, 2000) en *Minuscule oorlogen* (uitgeverij Querido, 2004).
'Een man dacht dat hij vrij was' is geschreven in opdracht van het Nationaal
Comité 4 en 5 mei.